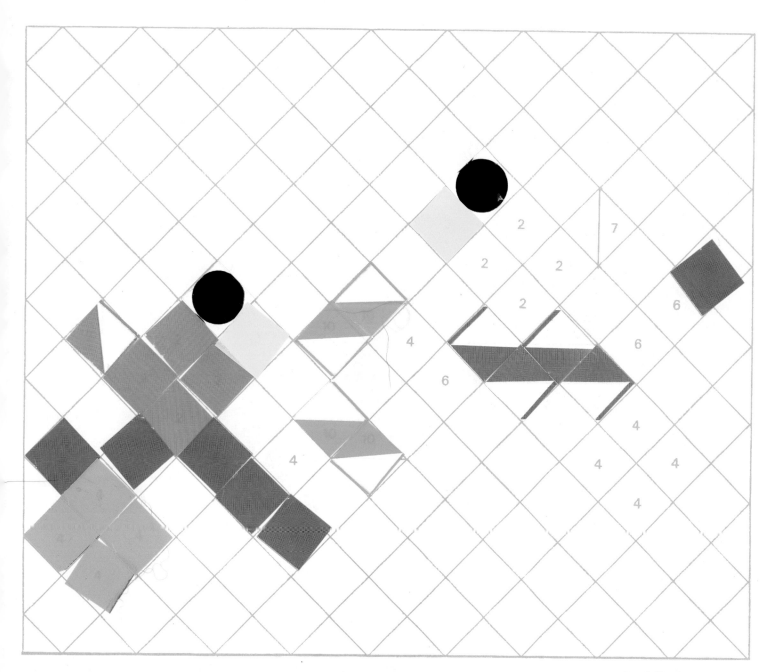

BIRDS

	4	4	4	4	4	4		1	1	1		
	4					4		8		8		
	4					4		5				
	4					4		5				
	8	1	1	1	1	8			5			
2	2	1	1	1	1	2	2	2	4	2	2	2
2	2	1	1	1	1	2	2	4	4	4	2	2
2	2	1	1	1	1	2	2	4	4	4	2	2
3	3	1	1	1	1	3	3	4	4	4	3	3
3	3	3	3	3	3	3	3	3	3	3	3	3
3	3	3	3	3	3	3	3	3	3	3	3	3

BUCKET AND SPADE

		◸8	1	1	1	1	1	1	1	1			
		1	12			12	1	12		1			
		1	1	1	1	1	1	1	1	1			
		1	3	3	3	3	3	3	3	1			
		1	1	1	1	1	1	1	1	1			
	◸8	12	1	12	1	12	12	1	2	2			
	1	◸7	1	◸11	1	◸9	◸10	1	2	2			
	1	1	1	1	1	1	1	1	2	2			
		15	15					15	15				
6	6	6	6	6	6	6	6	6	6	6	6	6	6

BUS

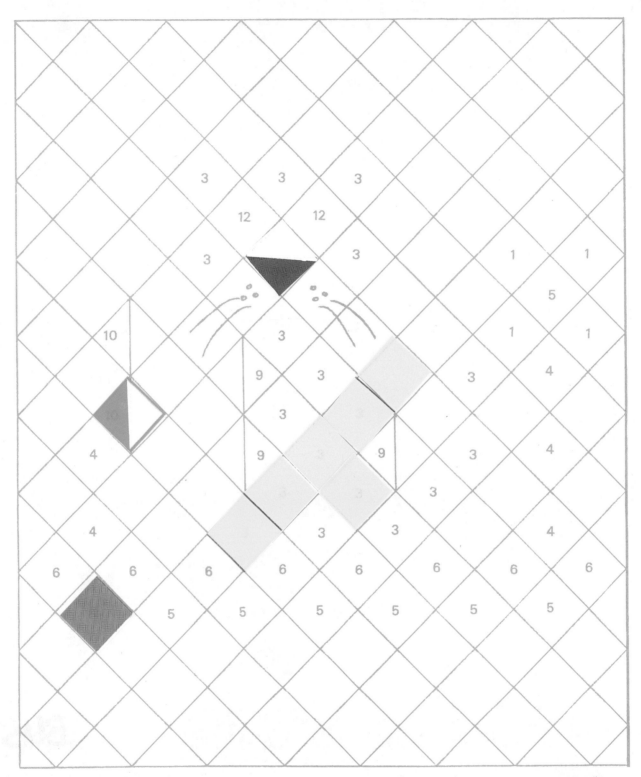

CAT

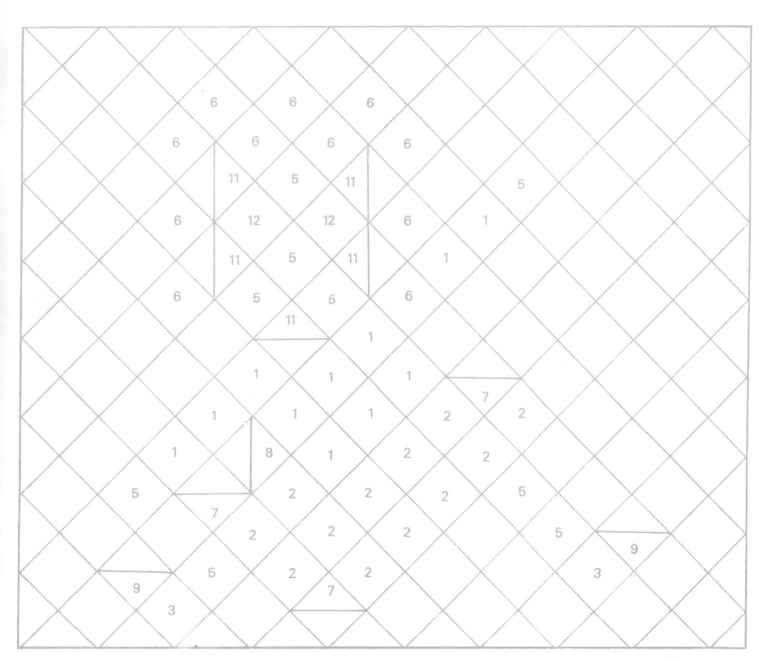

DOLL

FLAGS

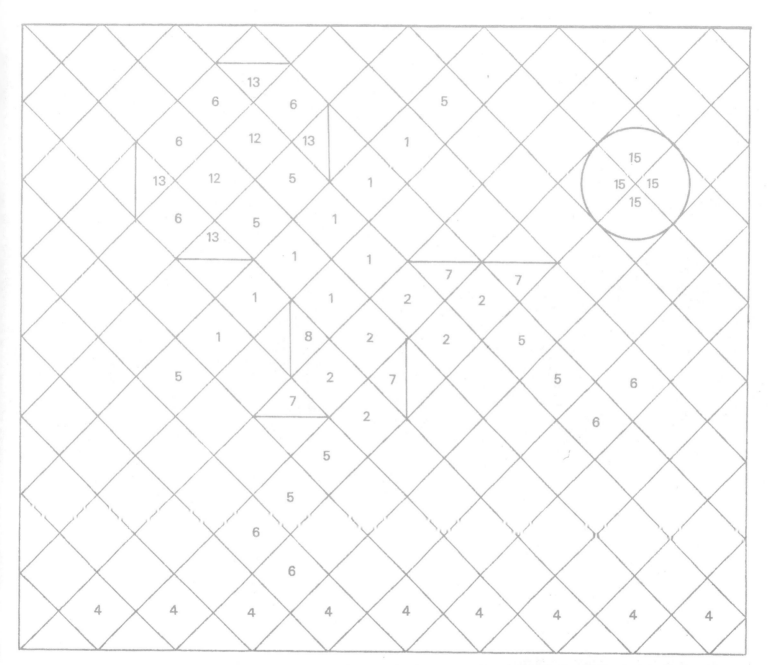

FOOTBALLER

FROG

								2					
			8	1	1	1	1	1	8				
		8	1	1	1	1	1	1	1	8			
	8	1	1	1	1	1	1	1	1	1	8		
		2	3	3	2	2	2	3	3	2			
		2	9	9	2	2	2	9	9	2			
		2	2	2	2	2	2	2	2	2			
		2	1	1	2	2	3		3	2			
		2	1	1	2	2	3		3	2			
		2	1	1	2	2	2	2	2	2			
4	4	4	4	4	4	4	4	4	4	4	4	4	4

HOUSE

					7	2					
		9	3	12	2						
		3	3	2	2						
			7	2	4						
			2	2	4	10			4		
			2	2	2	2	10	4			
			7	2	2	2	7				
	5	5	5	6	6	5	5	5			
					5						
					5						
					5						
					5						

PARROT

11

5

11 12 11   8 8

12 5 5 5   8 1 1

11 5 11   1 1

3 13 5 5 5 11   1 1

13 5 5 5 5 5 11   1 1

5 5 5 5 1 8

11 11

5 5

10 10

10 4 4 11 5 5 5   13 6 6

13

6 6 6 6 6 13

13 4 4 10

13 13 10 10 10

SQUIRREL

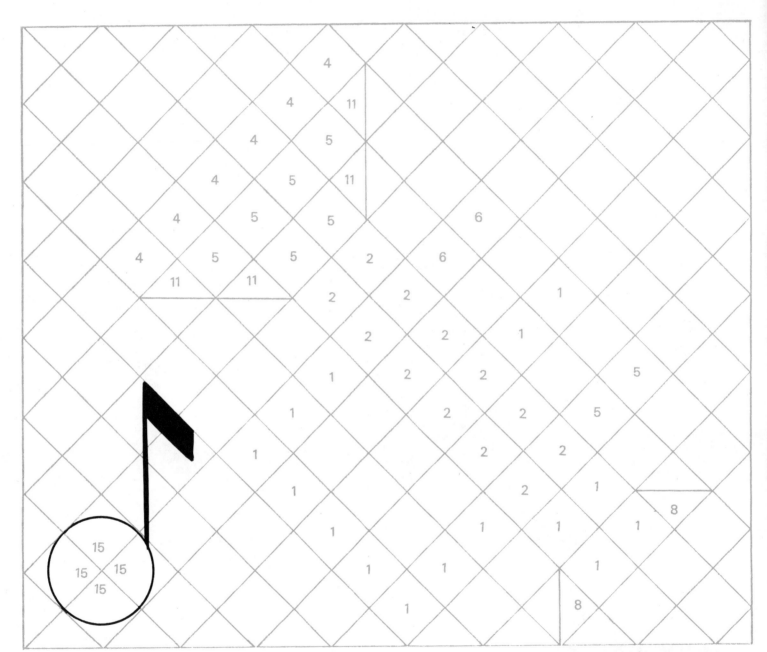

TRUMPET

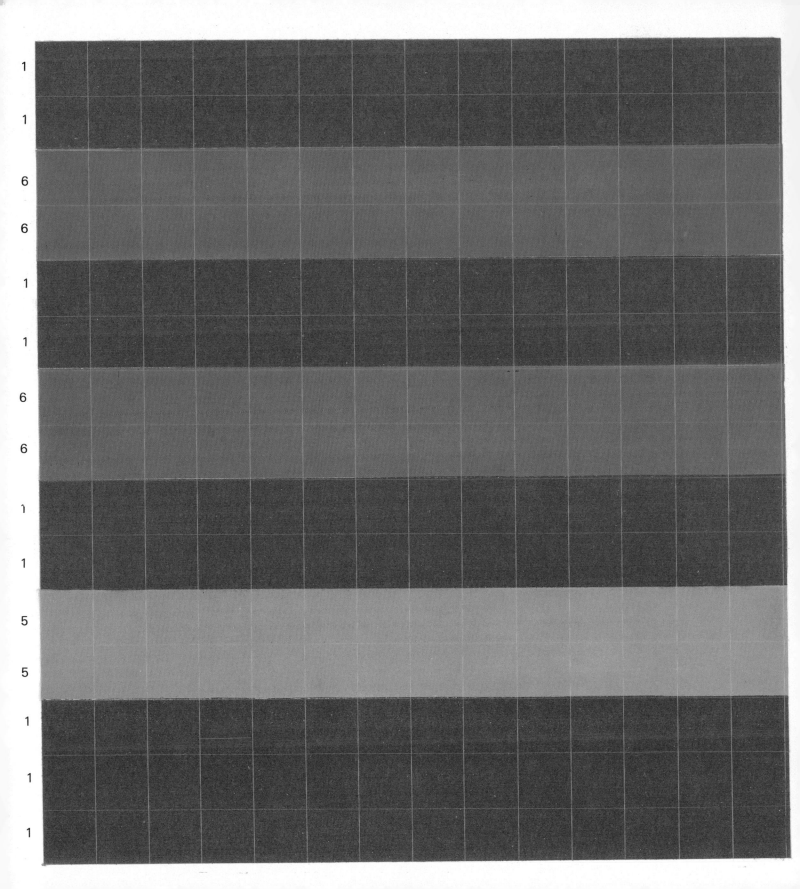